JN152364

ぞくぞく村の

ミイラのラムさん

末吉暁子・作　垂石眞子・絵

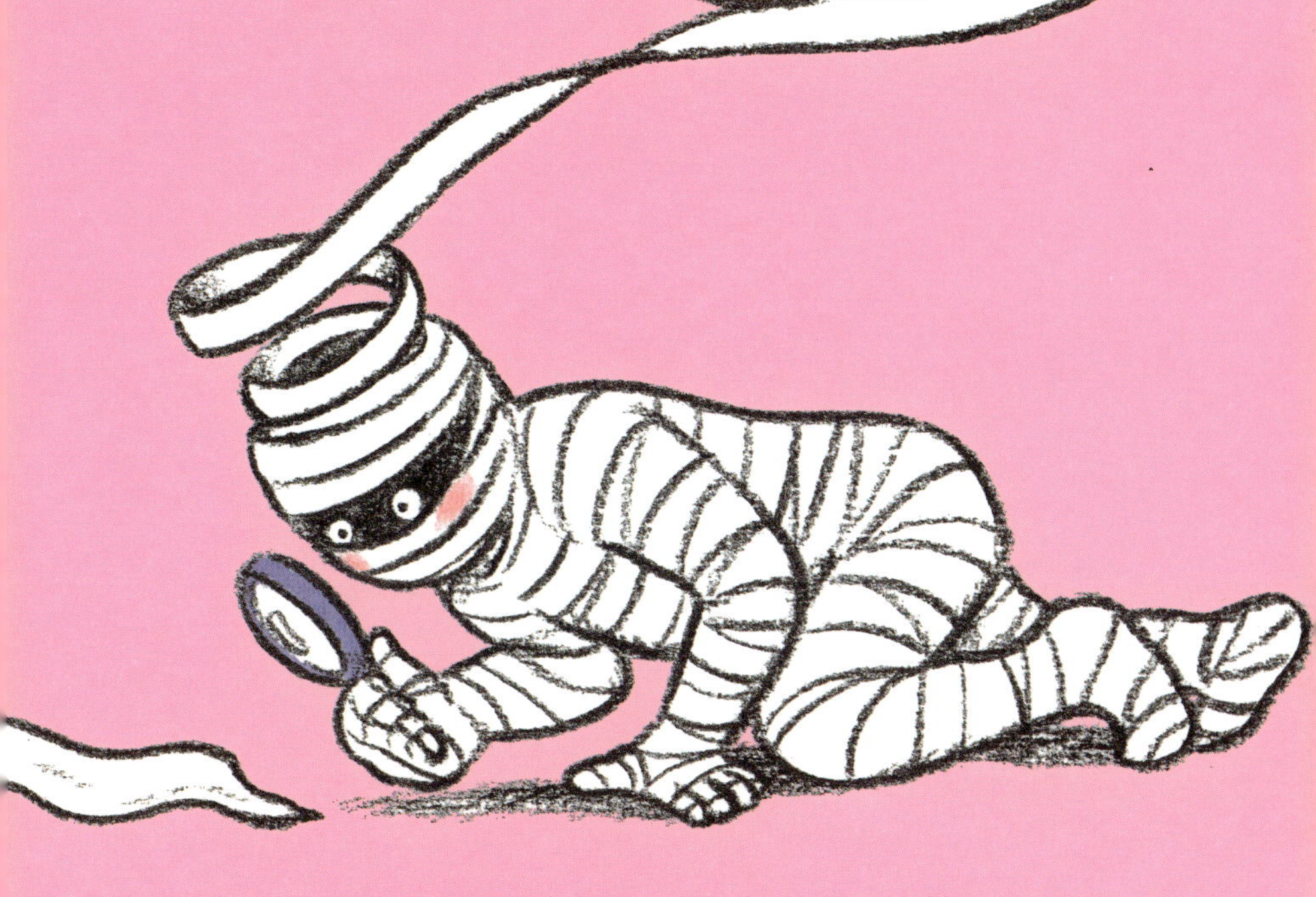

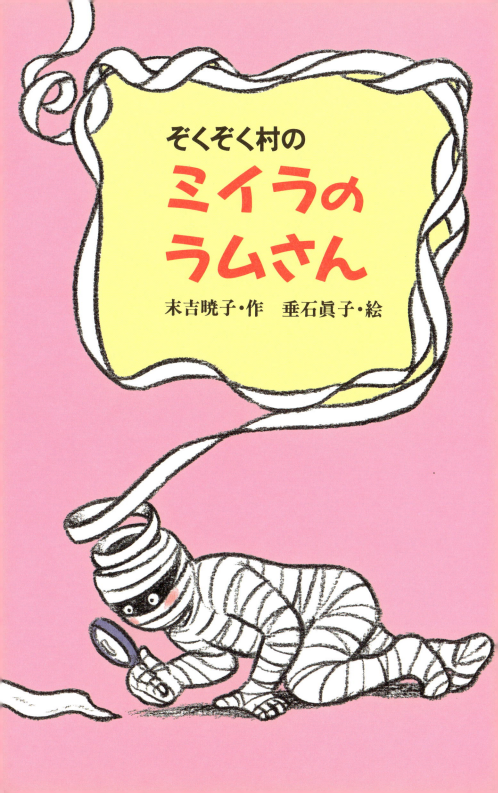

ぞくぞく村《むら》にすんでいるのは、
ちょっとかわった妖怪《ようかい》ばかり。

さむがりやの
「とうめい人間《にんげん》」に、

入《い》れば の
「ドラキュラ吸血鬼《きゅうけつき》」
……

ほうきにのれない
「魔女《まじょ》」に、
おもい…
おしゃれな
「おばけのおじいさん」
あいたたた
ドスン

ときどき、ぶたになってしまう、「おおかみ男《おとこ》」

そんなへんな妖怪《ようかい》ばかり集《あつ》まって、けっこうゆかいにくらしています。

これが、ぞくぞく村《むら》です。
えっ、どこに村《むら》があるのかって？
そうそう、昼《ひる》まはみんな、ねて
いるんでした。
だから、たまにふつうの人間《にんげん》が
通《とお》りかかっても、なんにも気《き》がつ
きません。なんだか、背中《せなか》のあた
りが、ぞくぞくっとするだけです。

夜《よる》になれば、この通《とお》り。
家《いえ》いえのあかりが、いっせいに
ついて、ぞくぞく村《むら》はかがやきだ
します。

ミイラ男《おとこ》のラムさんも、ひそひそ川《がわ》のほとりで、おくさんのマミさんといっしょに、くらしていました。

ラムさんのうちは、こっとう屋《や》さん。古《ふる》い道具《どうぐ》を売《う》る店《みせ》です。

ドンガラ、ホイホイホイ！

お店《みせ》のとびらのチャイムが、鳴《な》りました。

さっそく、だれかお客《きゃく》さまが、来《き》たようですよ。

「いらっしゃいませ。」

ラムさんがお店《みせ》に出《で》てみると、立《た》っていたのは吸血鬼《きゅうけつき》の親子《おやこ》です。

「むすこがだいぶ、背《せい》がのびたんでね。ベッドを買《か》いかえなきゃと思《おも》ってね。」

お父《とう》さんの吸血鬼《きゅうけつき》が言《い》いました。

こっとう屋
ラム
ほりだしもの
あります

そのうしろには、お父《とう》さんより頭《あたま》一つ大《おお》きいむすこが、ひょろんと立《た》っています。

「まっくらな所《ところ》で、静《しず》かにぐっすりとねむれるベッドはないかなあ。」

「はいはい、こんなのは、いかがで？」

ラムさんがすすめたのは、古代《こだい》エジプトのファラオの使《つか》ったベッド。

「ううん、ちょっとねえ。」

「じゃ、こちらはどうです。シバの女王《じょおう》のけらいが使《つか》ったベッド。」

「ねごこち悪《わる》そうだよ。」

吸血鬼《きゅうけつき》の親子《おやこ》は、どれも気《き》に入《い》らないようです。

かってに、お店《みせ》の中《なか》をあれやこれやと、見《み》てまわっていましたが、とつぜん、目《め》をかがやかせました。

「おお、これはいい！」

「背《せ》たけも、ぼくにぴったりだ。」

二人《ふたり》が見《み》つけたのは、むかし、ラムさんが入《はい》っていたおかんでした。

「ふたを開《あ》けるときに、ギギギッといい音《おと》がするのが気《き》に入《い》った。」

「かびくさいにおいも、いいな。」

二人《ふたり》はよろこんで、おかんをかついで、帰《かえ》りました。

ラムさんも、おかんが、高《たか》く売《う》れたので、ほくほくです。

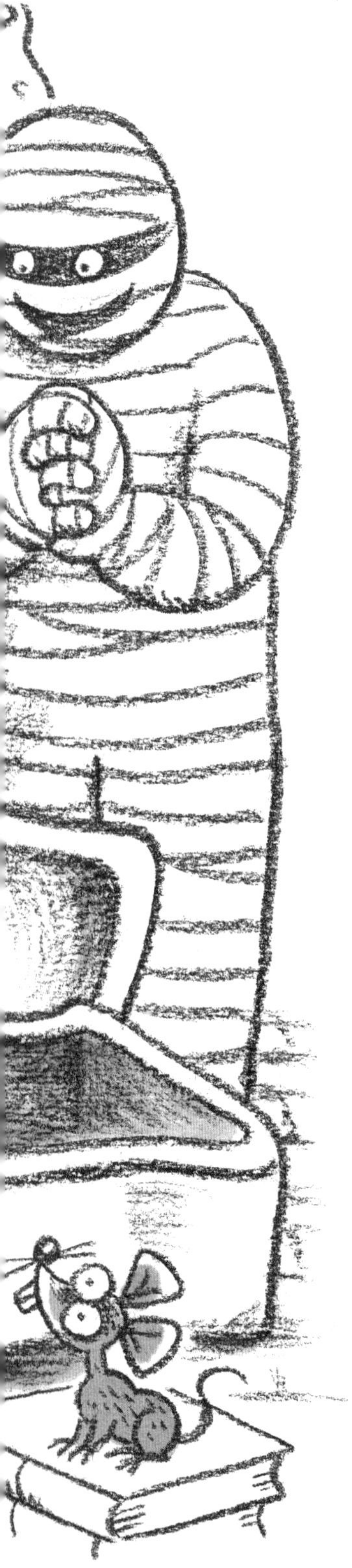

「おうい、おまえ。お店《みせ》のおかんが高《たか》く売《う》れたよ。」

おくさんのマミさんに、さっそく知《し》らせました。

「よかったね、あなた。いま、ちょうどいいお湯《ゆ》かげんに、おふろがわいたところよ。あたしが店番《みせばん》してるから、どうぞゆっくり入《はい》ってちょうだい。」

「そうかい。それじゃ、ひさしぶりにゆっくりおふろに入《はい》ろうかな。」

ラムさんは、おふろに入《はい》るのが、大好《だいす》きなのです。

でも、こまるのは、そのたびに、ほうたいをほどいたり、まいたりしなくては、ならないことです。足《あし》の先《さき》っぽから、シュルシュルと、ほうたいをほどきはじめて、全部《ぜんぶ》ほどけたころには、時計《とけい》の長《なが》いはりも、ぐるりと一周《しゅう》してしまいます。

だから、毎日《まいにち》、おふろに入《はい》るわけにもいきません。

「ほうたいを取《と》ったすがたは、しなびたきゅうりみたいで、われながら、かっこ悪《わる》いなあ。でも、ぼくは、おふろが大《だい》好《す》きだから……。」

はだかになったラムさんは、いそいそと、ホルマリンのおふろに入《はい》ります。

「うーん、いいお湯《ゆ》だ。なんだか、わかがえるようだ。」

そこへ、おくさんが、おぼんにのせて、食事《しょくじ》を運《はこ》んできました。

「あなた、ごはんよ。」

「ああ、ありがとう。」

おぼんの上《うえ》には、もみがらのごはんと、ナフタリンのビスケット。それに、ワインが一ぱい。

ラムさんは、おぼんをお湯《ゆ》にうかべて、おふろに入《はい》りながら食事《しょくじ》をします。

「ああ、さいこうのぜいたく!」

おふろから出《で》ると、ラムさんは、また、ほうたいをまきはじめます。これが、また、ひと仕事《しごと》。

気《き》をつけてまかないと、こんがらがったり、かた手《て》をまきわすれたり。

「あれ、からまっちゃった。」
「ゆるすぎて、ぶかぶかだ。」

すっかりまきおわると、もうそろそろ、空《そら》があかるくなりはじめるころです。

「やれやれ、もう朝《あさ》か。」

そんなわけですから、ラムさんが、大《だい》好《す》きなおふろに入《はい》るのも、一週《しゅう》間《かん》に、せいぜい一度《ど》ぐらいなのです。

ある晩《ばん》のこと。

ラムさんが店番《みせばん》をしていると、おふろばの方《ほう》から、

「きゃあっ！」

と言《い》う、おくさんのひめいがきこえました。

「どうした、おまえ。ゴキブリでも出《で》たのかね」

おどろいて、ラムさんがかけつけると、おくさんのマミさんは、体重計《たいじゅうけい》にのって、ガクガクふるえています。

「たいへんよ。あなた。こないだから、ほうたいがきつくて、くるしい、くるしいと思《おも》っていたら、こんなに太《ふと》っちゃって……、ほうたいがたりないの」。

見《み》れば、たしかにおくさんのかた足《あし》のひざから下《した》は、にょっきりとむきだしのまま。

「ようし、じゃ、もう一回《かい》、ほうたいをまきなおしてみよう。じょうずにまけば、きっとちゃんと全身《ぜんしん》まけるよ。」

ラムさんも手《て》つだって、おくさんのほうたいをまきなおしました。

朝《あさ》までかかって、うんうん言《い》って、

「ほら、まきおわったよ。ちゃんと両足《りょうあし》、かくれたじゃないか。」

そう言《い》って、よく見《み》ると……。

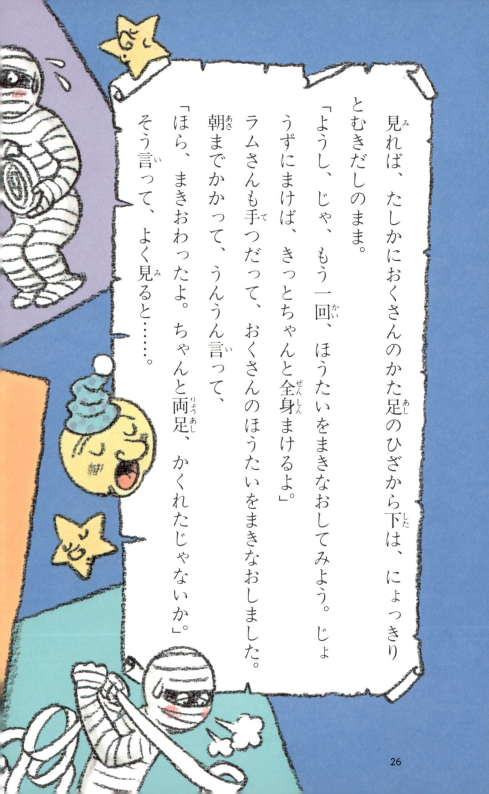

「だめだわ。こんどは右手《みぎて》が、はみだしているもの。」

「ありゃ。」

「わあん、どうしましょう。これじゃ、みっともなくて、外《そと》も歩《ある》けないわ。」

おくさんは、なきだしました。

「それじゃ、夜《よる》になったら、ぼくが、ぞくぞく村《むら》いちばんのブティックで、新《あたら》しいほうたいを買《か》ってきてやる。待《ま》っていなさい。」

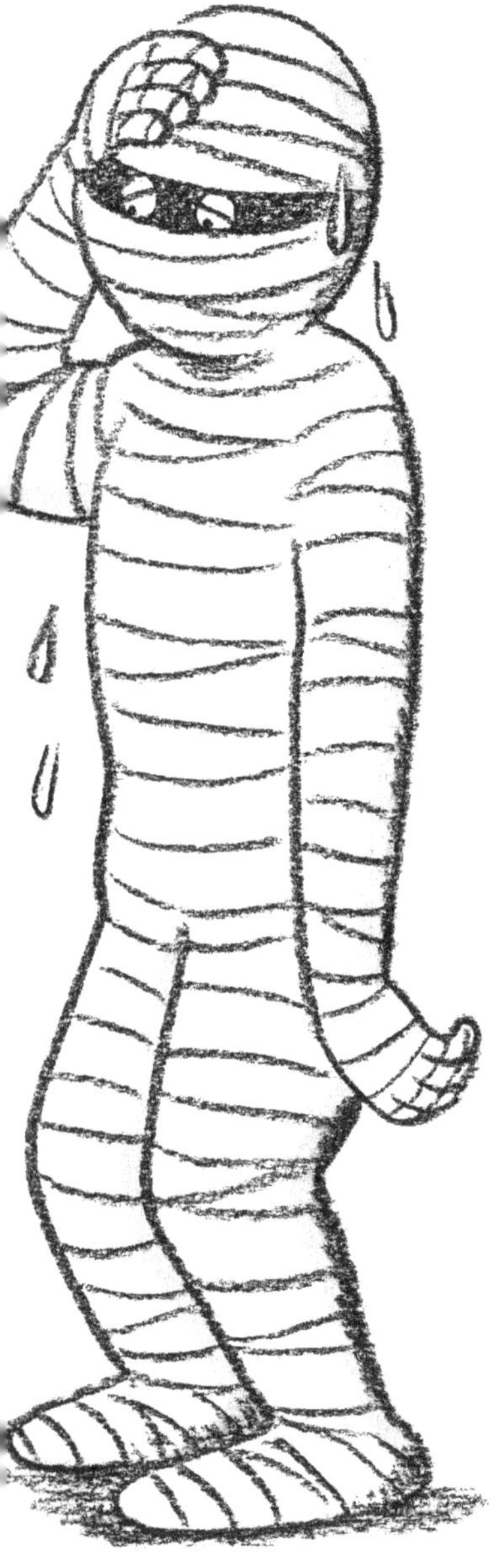

お日《ひ》さまがしずんで、お月《つき》さまが上《あ》がり、お星《ほし》さまがチカチカまたたきだすころ、ラムさんは出《で》かけていきました。

ぞくぞく村《むら》の、どまん中《なか》の、どっきり広場《ひろば》には、しゃれたお店《みせ》がいっぱいです。

本屋《ほんや》さんに、くつ屋《や》さん、ブティックに、カフェテリア。

なかでも、ブティック「びっくり箱《ばこ》」は、ぞくぞく村《むら》でいちばんおしゃれなお店《みせ》。洋服《ようふく》だけではなく、おしゃれにかんするものならなんでも売《う》っています。

BOOK
ブティック
びっくり箱

お店《みせ》の主人《しゅじん》は、さむがりやのとうめい人間《にんげん》。夏《なつ》だというのに、ぼうしにマフラー。ぶあついセーターを着《き》ています。

それでも、ときどき、鼻水《はなみず》が、ズルーリ。なんにも見《み》えない顔《かお》のまん中《なか》で、鼻水《はなみず》だけが、ツツーっと出《で》たり、入《はい》ったり。

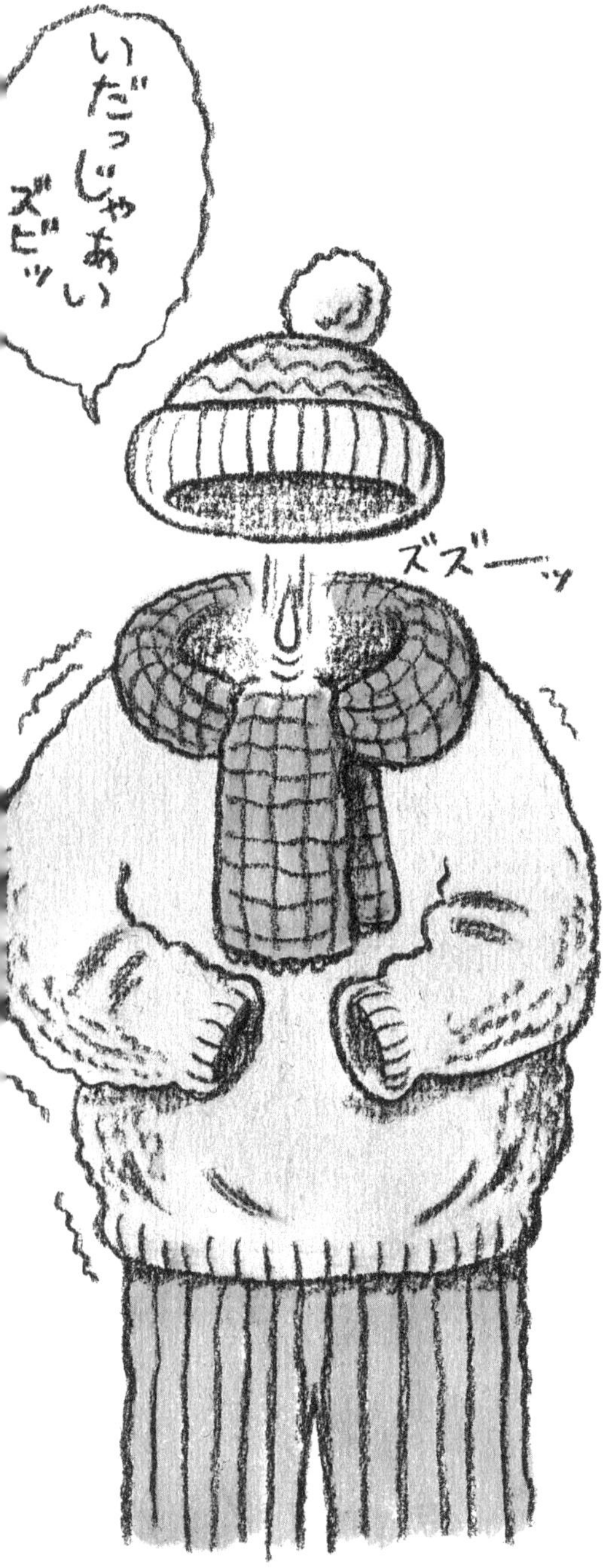

そのおくさんは、ぞくぞく村《むら》いちばんの美人《びじん》で、スマートで、と言《い》うことですが、なにしろ、だれにも見《み》えないのですから、ほんとのところは、わかりません。どんな服《ふく》を着《き》てみても、ファッションモデルみたいに、ぴたっとあうことは、たしかです。

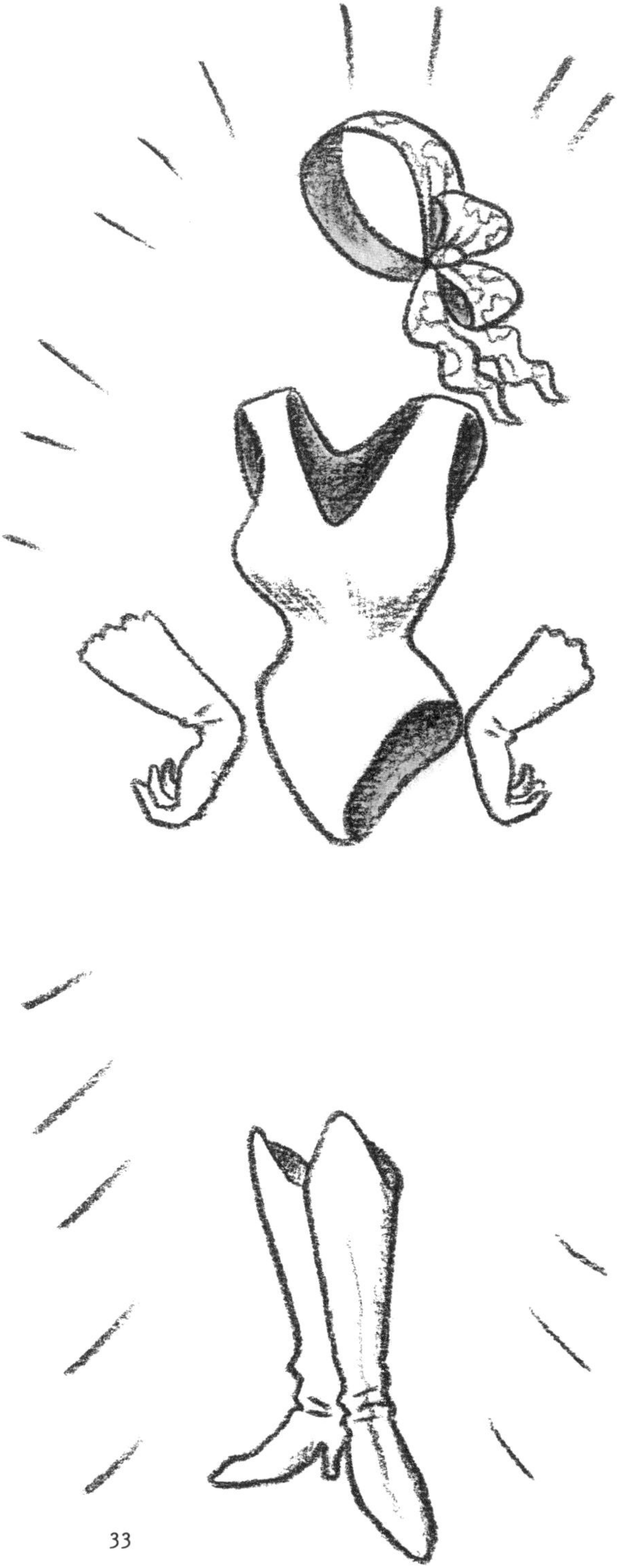

ブティック「びっくり箱《ばこ》」は、きょうもいろんなお客《きゃく》さまでにぎわっています。

おしゃれなおばけのおじいさんは、上《うえ》から下《した》まで、きらきらファッションで、きめました。

ぬるぬる池《いけ》の妖精《ようせい》の、レロレロは、色《いろ》とりどりの長《なが》いかみのかつらをえらんでいます。

小鬼《こおに》のゴブリンのおやじが、飛《と》びこんできて、言《い》いました。

「おれのところに、七つ子《ご》が生《う》まれたんだ。とびきりかわいい赤《あか》んぼう用《よう》の服《ふく》をくれ。」

そう、ブティック「びっくり箱《ばこ》」には、赤《あか》ちゃんの服《ふく》まであるのです。

ミイラ男《おとこ》のラムさんは、たずねました。

「ミイラ用《よう》のほうたい、ありますか。」

すると、とうめい人間《にんげん》は、もみ手《で》をして、あいそわらい。

「ひゃっひゃっひゃっひゃっ、いらっしゃいませ。ミイラさまむきのほうたいですね。ありますとも。ちょっとお待《ま》ちを。」

そう言《い》って、次《つぎ》から次《つぎ》へと、ほうたいのたばを持《も》ってきました。

「こちらが、ごふじんのミイラ用《よう》のほうたい。こちらは、しんし用《よう》。こちらは、犬《いぬ》、ねこ用《よう》。こちらは、ぞうのミイラ用《よう》でございますよ。ひゃっひゃっ、ひゃっ。」

なるほど。大《おお》きいのやら、小《ちい》さいの。はばの広《ひろ》いのやら、せまいのやら、じつにいろいろな、ほうたいがあるものです。

「どれにしようかな。」

ラムさんは、しばらくまよっていましたが、

「ぞうのミイラ用《よう》のをください。」

と言《い》いました。

だって、もしも、ふじん用《よう》のを買《か》っていって、またたりなかったら、おくさんは、ひどくきずつくでしょうからね。

「おくさんには、ぞうのミイラ用《よう》だってことは、ないしょにしとかなくちゃ。」

「まいどありがとうございます。また、どうぞ。」

ラムさんは、ひとかかえもある、ほうたいをかかえて、歩《ある》きだしました。

まいど～

そのとき、うしろから、だれかがよびとめました。
「おうい、ラムさんじゃないか。しばらくだね。」

ふりかえると、そこに立《た》っていたのは、サングラスとマスクをした男《おとこ》。だれだか、ちっともわかりません。

「あの、どなたでしたっけ」。

そう言《い》うと、男《おとこ》は、ひそひそ声《ごえ》で言《い》いました。

「ぼくだよ。おおかみ男《おとこ》だよ」。

「ああ、きみか。しばらくだね。どうして、マスクやサングラス、してるんだい？　ぞくぞく村《むら》では、顔《かお》をかくすことなんか、ないのに……」。

「だって……」。

言《い》いながら、おおかみ男《おとこ》は、ぱっと、サングラスとマスクをはずしてから、また、大《おお》いそぎで、かけなおしました。

その、一しゅんのあいだに、ラムさんが見《み》てしまったものは、

「ぶたの顔《かお》……。」

「そうなんだよ。このごろ、ときどき、まん月《げつ》の夜《よる》に、おおかみ男《おとこ》になるかわりに、ぶた男《おとこ》になってしまうの。かっこ悪《わる》いんで、こうして顔《かお》をかくしているの」

ぶた男《おとこ》のおおかみ男《おとこ》は、はずかしそうに言《い》いました。

「ぶた男《おとこ》だって、気《き》にすることないのに……」

「うん、でも、ぶた男《おとこ》になってるときは、気《き》持《も》ちまで、ぶたのように、おくびょうになってしまうの。だから、つい、かくしたくなるのさ」

「そうだったのか。ところで、ひさしぶりに会《あ》ったんだ。そこのカフェテリアで、なにかのみながら、話《はな》そうよ」

ラムさんとおおかみ男《おとこ》は、いっしょに、そばのカフェテリア「のっぺらぼう」に入《はい》っていきました。

さっき、ブティック「びっくり箱《ばこ》」に来《き》ていた、おしゃれなおばけのおじいさんと、ゴブリンのおやじも、松《まつ》やにビールをのんでいます。すみの方《ほう》では、魔女《まじょ》のオバタンがひとりで、おばけかぼちゃのジュースをのんでいます。テーブルには、ほうきが立《た》てかけてありました。ミイラのラムさんも、買《か》ったばかりのほうたいを、かべに立《た》てかけておきました。

「ぼくは、石《せっ》けんソーダー水《すい》にしようかな。おがくずクッキーも、ちょうだい。」

ラムさんが注文《ちゅうもん》すると、おおかみ男《おとこ》は、小《ちい》さな声《こえ》で、

「ぼく、ミルク。」

と言《い》いました。

「ええっ、どうしたの。きみはお酒《さけ》が大好《だいす》きだったじゃないか。」

そうです。いつもは、あびるほどお酒《さけ》をのんでも、平気《へいき》だったのに……。

「ぶた男《おとこ》になってるときには、お酒《さけ》も弱《よわ》くなっちゃうの。」

「やれやれ。」

それでも、二人《ふたり》はひさしぶりで、楽《たの》しいひとときをすごしました。

「それじゃ、また。おくさんのマミさんにもよろしく。近《ちか》いうち、ぜひ、うちにあそびに来《き》てよ。」

「うん、きっと。」

ラムさんは、おおかみ男《おとこ》とさよならして、家《いえ》に帰《かえ》りました。

「あっ、いけない。ほうたいをわすれてきた。」

ひそひそ川《がわ》の上流《じょうりゅう》の、家《いえ》の前《まえ》まで来《き》て、はじめて、ラムさんはほうたいを持《も》っていないことに気《き》がつきました。

家《いえ》では、さぞかし、おくさんが、なかなか帰《かえ》ってこないラムさんを、いらいらしながら待《ま》っていることでしょう。

「あのカフェテリアに、おきわすれてきたんだ。早《はや》く取《と》り返《かえ》してこなくちゃ。」

ラムさんは、大《おお》いそぎで、引《ひ》き返《かえ》しました。

けれども、ほうたいは、カフェテリアのどこにもありません。

「買《か》ったばかりのほうたいを、おきわすれていったんだよ。だれか知《し》りませんか。」

お客《きゃく》も、だれも知《し》りません。

店《みせ》の主人《しゅじん》の、のっぺらぼうも知《し》りません。

「たいへんだ。どうしよう。」

ラムさんは、ほうたいごと青《あお》くなりました。

「でも、あんな大《おお》きなものが、きえてなくなるはずがない。だれかが持《も》っていったに、ちがいない。ようし、ぞくぞく村《むら》じゅう、さがし歩《ある》いてやるぞ。」

なんとか見《み》つけださないと、おくさんにおこられます。

ラムさんは、あてもなく歩《ある》きだしました。

「そうだ。あのとき、たしか魔女《まじょ》のオバタンが、おばけかぼちゃのジュースをのんでいた。なにか知《し》っているかもしれない。行《い》って聞《き》いてみよう。」

ぐずぐず谷《だに》の、魔女《まじょ》のオバタンの家《いえ》までやってくると、にわに、せんたくものが、ひるがえっています。
色《いろ》とりどりのハンカチです。
「あれ、めずらしい。魔女《まじょ》のオバタンが、せんたくするなんて。」
だって、オバタンが、いつもよごれの目《め》立《だ》たない、まっ黒《くろ》な服《ふく》を着《き》ているのは、せんたくするのが、大《だい》きらいだからなのです。

オバタン
のうち

ラムさんが、かんしんしてながめていると、まどからオバタンが、顔《かお》を出《だ》しました。

「ウフフッ。きょうは、いいひろいものをしたんでね。いろんな薬《やく》草《そう》でそめて、ハンカチにしたのよ」

「ええっ。」

ラムさんが手《て》に取《と》ってよく見《み》れば、色《いろ》とりどりのハンカチは、なんとぞうのミイラ用《よう》のほうたいを、こまかく切《き》ったものではありませんか。はばが広《ひろ》いので、ハンカチにするのがぴったりだったのです。

「じょうだんじゃないよ。これは、ぼくが買《か》ったばかりの、ぞうのミイラ用《よう》、いや、ぼくのおくさんのほうたいなんだよ。あーあ、こんなにこま切《ぎ》れにしちゃって。」

もちろん、ラムさんは一まいのこらず、取《と》り返《かえ》しましたよ。
でも、全部《ぜんぶ》取《と》り返《かえ》しても、とてもとても、ぞうのミイラ用《よう》には、なりません。

「あたしがひろったのは、それだけよ。あとの分《ぶん》は、だれかほかの人《ひと》がひろってったんでしょ。あたしゃ、知《し》らないよ。」

オバタンに聞《き》いても、残《のこ》りのほうたいのゆくえは、わかりません。

「わあん。どうしよう。残《のこ》りは、だれが持《も》っていったんだ。」

かきあつめたハンカチをかかえて、ラムさんは歩《ある》きだしました。

もじゃもじゃ原《はら》っぱのとちゅうで、三人《にん》のおばけの女《おんな》の子《こ》に会《あ》いました。

この三人《にん》は、おしゃれおばけのおじいさんの、まごです。

三人《にん》とも、ひらひらのフリルのついた、ドレスを着《き》ていました。

「あら、ミイラ男《おとこ》のラムさんよ。」

「こんにちは。」

「どうかしたの。しんぱいそうな顔《かお》して。」

おばけの女《おんな》の子《こ》たちは、かわるがわる言《い》いました。

「じつはねえ。」

と、ラムさんは、わけを話《はな》しました。

「ぼくのおくさんのために買《か》ったほうたいを、なくしてしまったんだよ。だれかがひろって、持《も》っていったらしい。」

すると、おばけの女《おんな》の子《こ》たちは、
また、口《くち》ぐちにたずねました。

「ほうたいって？」

「どんな色《いろ》の？」

「どのくらいのはばの？」

「このくらいのはばで、白《しろ》いの。」

ラムさんが、そう言《い》うと、おばけの女《おんな》の子《こ》たちは、顔《かお》を見《み》あわせました。

それから、いっせいに、自分《じぶん》たちのフリフリをながめました。

「もしかしたら……。」

「そうよ。」

「これだわ。」

そう言《い》うと、いきなり洋服《ようふく》のフリフリを、ベリベリとひきはがしはじめたのです。

「おいおい、なにするんだい。きみたち。すてきな洋服《ようふく》が、だいなしになるじゃないか。」

ラムさんは、びっくりしてさけびました。

「これなのよ、ラムさんがさがしてるほうたいは。」

「あたしたちのおじいさんが、どこからかひろってきて、ドレスにつけて、フリフリにしろってきかないの。」

「いまどき、こんなドレスは、はやらないわ。だから、返《かえ》すわ。」

すっかり、フリフリをひきはがすと、なるほど、それはたしかにそうのミイラ用《よう》のほうたいです。

「そうだったのか。いや、ありがとう。これでだいぶ、もどってきたよ。でも、全部《ぜんぶ》じゃないみたいだなあ。」

ラムさんがつぶやくと、

「あら、おじいさんの持《も》ってきたのは、これだけよ。」

「あたしたち、知《し》らないわ。」

「残《のこ》りは、だれか、ほかの人《ひと》が持《も》っていったんじゃないの。」

おばけの女《おんな》の子《こ》たちは、そう言《い》って、行《い》ってしまいました。

「あーあ、うっかり、おきわすれたばっかりに、こまったことになったもんだ。」

ばらばらになってしまった、ほうたいをかかえたラムさんは、なきたくなってきました。

「あのとき、カフェテリアにいたのは、魔《ま》女《じょ》のオバタンと、おしゃれなおじいさんおばけ。それから、それから……、そうだ！　ゴブリンのおやじだ。」

残《のこ》りのほうたいは、ゴブリンのおやじが持《も》っていったにちがいありません。

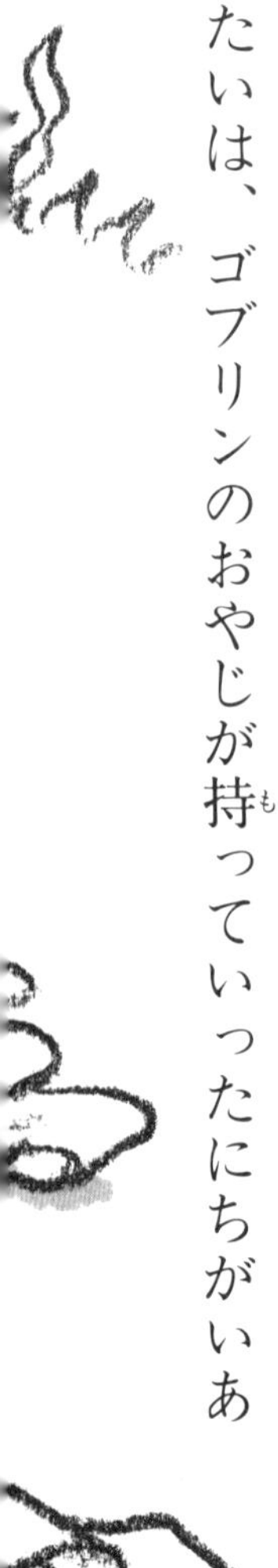

ゴブリンの家《いえ》は、べろべろの木《き》の根《ね》元《もと》だ。それ、いそげ」。

べろべろの木《き》というのは、べろべろの実《み》のなる木《き》です。りんごによくにた赤《あか》い実《み》ですが、じゅくすと二つにわれて、中《なか》からべろっとした、べろのようなものが出《で》てくるので、この名《な》前《まえ》がつきました。

ラムさんが、べろべろの木《き》の近《ちか》くまでやってくると、元《げん》気《き》な赤《あか》ちゃんのなき声《ごえ》が聞《き》こえてきました。

「そう言《い》えば、ゴブリンのところには、七つ子《ご》の赤《あか》ちゃんが生《う》まれたと言《い》ってたな。」

それを思《おも》いだしたとたん、ラムさんは、なんとなく、いやあなよかんがしました。

「ぞうのミイラのほうたいが、ぶじであればいいけど……」。

そういのりながら、ゴブリンの家《いえ》のげんかんのドアをあけました。

中《なか》では、ゴブリンのおくさんが、七つ子《ご》の赤《あか》ちゃんのおしめを、かかえているまっさいちゅう。

ゴブリンのおやじも、手伝《てつだ》いながら、とくいそうに言《い》っています。

「ちょうどよかったろ。おしめが七まいできて」。

「たすかったわ。おしめにちょうどいいはばで、とってもやわらかい、ぬのきれだったから……」。

ラムさんは、がっくり。

ほうたいの残《のこ》りは、七つ子《ご》のおしめにされてしまったのです。

ラムさんは、そっとドアをしめると、だまって帰《かえ》ってきました。

だって、赤《あか》ちゃんのしているおしめを、ひっぺがして、持《も》ってくるわけにもいかないじゃありませんか。

それに、ラムさんのおくさんだって、とってもおしゃれなのです。赤《あか》んぼうのおしめになったほうたいを、させるわけにはいきません。ラムさんは、しかたなく、ハンカチにされてしまったほうたいと、おばけの女《おんな》の子《こ》のドレスのフリフリにされてしまったほうたいとを、かかえて家《いえ》に帰《かえ》りました。

もうすぐ、夜《よ》があけます。

ぐずぐず谷《だに》のむこうから、朝日《あさひ》が顔《かお》を出《だ》すころです。

にぎやかにきらめいていたどっきり広場《ひろば》のあかりも、すっかりきえて、ぞくぞく村《むら》は静《しず》かな昼《ひる》までの風景《ふうけい》にかわっていくところでした。

「ただいま。」

ラムさんは、ようやく家《いえ》に帰《かえ》りつきました。

「まあ、あなた。ほうたいを買《か》うのに、ずいぶん時《じ》間《かん》がかかったのね。」

出《で》てきたおくさんは、ラムさんのかかえている、こま切《ぎ》れのほうたいを見《み》て、びっくり。

「なあに、これ？」

「これが、ほうたいなんだよ。いろいろ、たいへんな目《め》にあって、ひっしで、ほうたいを取《と》り返《かえ》してきたんだよ。」

おくさんのマミさんは、それから昼《ひる》まもねないで、ずっとミシンをふみました。こま切《ぎ》れのほうたいを、全《ぜん》部《ぶ》つなぎあわせたのです。

「こんどは、かた足《あし》、はみださなければいいけど……。なにしろ、おしめ七まい分《ぶん》、たりないからなあ。でも、いくらなんでも、ぞうのミイラ用《よう》だから、だいじょうぶだろう。」

ラムさんが、ぶつぶつ言《い》っていると、

「ぞうのミイラが、どうかした？　あなた。」

おくさんが、聞《き》き返《かえ》しました。

「う、いやいや、なんでもない。うまく、ほうたいまけたかい？」

「こんどは、ぴったりよ、あなた。ほら、ところどころ、色《いろ》とりどりにそまって、すてきだわ。」

おくさんのマミさんは、すっかり新《あたら》しいほうたいが、気《き》に入《い》ったようでした。

「そうのミイラ用《よう》のを、買《か》っといてよかった……。」
ラムさんも、ほっとして、やっとベッドに入《はい》って、ぐっすりねむりましたって。

◎住《す》みよいぞくぞく村《むら》にしよう！

ぞくぞく村《むら》だより①号《ごう》

ラムさん監修《かんしゅう》
ミイラ特集《とくしゅう》

◇発行所◇
ぞくぞく村
広報室

ジャンボな空飛《そらと》ぶじゅうたんで
世界《せかい》ミイラめぐり二週間《しゅうかん》の旅《たび》！

ぞくぞく村《むら》のみなさん！ いっしょに世界《せかい》ミイラめぐりの旅《たび》に出《で》かけましょう。あんないは、ミイラのラムさんです。世界各地《せかいかくち》のミイラを見学《けんがく》しながら、同時《どうじ》に歴史《れきし》を勉強《べんきょう》しましょう。

エジプトでは、今話題《いまわだい》の四千四百年前《よんせんよんひゃくねんまえ》の美人《びじん》ミイラに会《あ》えます！

また、行《ゆ》く先《さき》ざきで、各地《かくち》の妖怪《ようかい》のみなさんの、かんげいパーティーもあります。ぜひ、ご参加《さんか》ください。お待《ま》ちしてます。

本《ぽん》・岩手県《いわてけん》、藤原《ふじわら》
代《だい》のミイラ

ルー・インカ時代《じだい》
ミイラ

国《ごく》・楼蘭《ろうらん》の幼女《ようじょ》の
イラ

ジプト・王《おう》のミイ
多数《たすう》。ねこ、いぬ
、わに、ねずみ、
くろう、たかなど
ミイラ

連《れん》・赤《あか》ちゃんマン
スのミイラ

ラムさんのミイラものしり

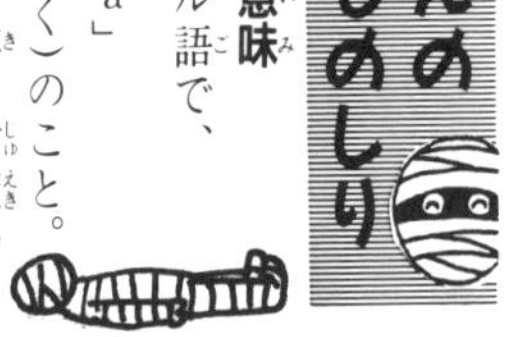

◆ミイラの意味《いみ》
ポルトガル語《ご》で、「mirra」没薬（もつやく）のこと。かんらん科《か》の木《き》の樹液《じゅえき》から製《せい》した防腐《ぼうふ》ざいのこと。だからミイラは、いいかおりがするのデス！

◆ことわざ
「人間《にんげん》とりが人間《にんげん》になる」

（意味《いみ》）ミイラをつれもどしに行《い》った者《もの》が、そのまま帰《かえ》ってこなくなること。気《き》をつけよう！

◆ラムさんのおすすめブック・メニュー
P・ローバー著《ちょ》「ミイラ物語《ものがたり》」が、ぞくぞく村《むら》の図書館《としょかん》に入《はい》りまし

●おばけであることに自信《じしん》を持《も》とう！

ゴブリンさんちの、べろべろの実《み》は、二十日《はつか》ごろが、食《た》べごろデス。

（べろべろの実《み》は、栄養《えいよう》たっぷり。とくに耳《みみ》や鼻《はな》をもっと高《たか》くしたい人《ひと》は、たくさん食《た》べてね。でも、べろには毒《どく》があるので注意《ちゅうい》！

☆**歯いたをなおすおまじない**

ひりひり滝《だき》の滝《たき》つぼでひろった石《いし》を、かみのけでぐるぐるまきにして、ひそひそ川《がわ》に投《な》げこむと、歯《は》いたは、ぴたっとなおるよん。

（ただし、親《おや》しらずだけ。）

よくあたる 夜《よる》の天気《てんき》予報《よほう》

◆**ぐずぐず谷方面《だにほうめん》**
むこう百日間《ひゃくにちかん》晴《は》れ。美《うつく》しい星月夜《ほしづきよ》が見《み》られます。

♣**びしょびしょ丘方面《おかほうめん》**
ずうっと雨《あめ》ばっか。

♥**おけら山方面《やまほうめん》**
こな雪《ゆき》。所《ところ》によりぼた雪《ゆき》。ときどき吹雪《ふぶき》。とにかく雪《ゆき》。

♠**どっきり広場方面《ひろばほうめん》**
毎日《まいにち》くもりのち晴《は》れ。風《かぜ》やや強《つよ》し。

（ときどきカエルがふる。）

ブティック「びっくり箱《ばこ》」春《はる》・夏《なつ》ものバーゲンセール！

ワンピース、スーツは、もちろん、とんがりぼうし、つけかえ用《よう》しっぽまで、新着《しんちゃく》、春《はる》夏《なつ》ものファッションをとりそろえました。

早《はや》い者勝《ものか》ちデース！

●**お花見《はなみ》だより**

にこにこの花《はな》は、十日《か》ごろが見《み》ごろデース！ わらうと、年《とし》をとらないよ。

ゴブリンさんちの、七《なな》つ子《ご》の赤《あか》ちゃんの名前《なまえ》が決《き》まりました。

みなさん、いろいろ考《かんが》えてくれて、ありがとう。

1、**ヌラリン**
2、**クラリン**
3、**パクリン**
4、**コロリン**
5、**ベロリン**
6、**チクリン**
7、**リンリン**

●「埼玉県《さいたまけん》の関芽紅ちゃんほか、たくさんのおたより、ありがとう。」

（ゴブリンより）

✱おたよりください◆あてさき◆東京都千代田区西神田三—二—一あかね書房「ぞくぞく村」係

作者　**末吉暁子**（すえよし　あきこ）
神奈川県生まれ。児童図書の編集者を経て、創作活動に入る。『星に帰った少女』（偕成社）で日本児童文学者協会新人賞、日本児童文芸家協会新人賞受賞。『ママの黄色い子象』（講談社）で野間児童文芸賞、『雨ふり花さいた』（偕成社）で小学館児童出版文化賞、『赤い髪のミウ』（講談社）で産経児童出版文化賞フジテレビ賞受賞。長編ファンタジーに『波のそこにも』（偕成社）が、シリーズ作品に「きょうりゅうほねほねくん」「くいしんぼうチップ」（共にあかね書房）など多数がある。垂石さんとの絵本に『とうさんねこのたんじょうび』（ＢＬ出版）がある。2016年没。

画家　**垂石眞子**（たるいし　まこ）
神奈川県茅ヶ崎市出身。多摩美術大学卒業。絵本の作品に『もりのふゆじたく』『きのみのケーキ』『あたたかいおくりもの』『あついあつい』『なみだ』『しょうぼうじどうしゃのあかいねじ』（以上、福音館書店）、「ぷーちゃんえほん」シリーズ（リーブル）など、童話の作品に「しばいぬチャイロのおはなし」シリーズ（あかね書房）がある。画を手がけた作品に『ちびねこチョビ』『ちびねこコビとおともだち』（以上、あかね書房）、『かわいいこねこをもらってください』（ポプラ社）、『ぼくの犬スーザン』（あすなろ書房）など。
垂石眞子ホームページ
https://www.taruishi-mako.com

ぞくぞく村のおばけシリーズ①　**ぞくぞく村のミイラのラムさん**

発　行＊1989年５月第１刷　2025年４月第86刷　NDC913　79p　22cm
作　者＊末吉暁子　画家＊垂石眞子
発行者＊岡本光晴
発行所＊**あかね書房**　〒101-0065　東京都千代田区西神田３-２-１／TEL 03－3263－0641㈹
印刷所＊錦明印刷㈱　写植所＊㈲千代田写植　製本所＊㈱難波製本

© 1989 A.Sueyoshi M.Taruishi Printed in Japan
〈検印廃止〉落丁本・乱丁本はおとりかえします。
定価はカバーに表示してあります。

ISBN978-4-251-03671-1